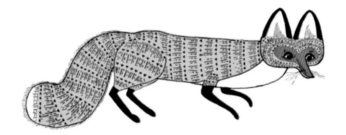

EL PASEO
DE ROSALÍA

EL PASEO
DE ROSALÍA

Pat Hutchins

kalandraka

Título original: *Rosie's Walk*

Colección: **libros para soñar**

© del texto y de las ilustraciones: Pat Hutchins, 1968
© de la traducción: Silvia Pérez Tato, 2010
© de esta edición:
Kalandraka Ediciones Andalucía, 2011
Avión Cuatro Vientos, 7 · 41013 Sevilla
Telefax: 954 095 558
andalucia@kalandraka.com
www.kalandraka.com

Publicado por el acuerdo con Simon & Schuster Children's Publishing Division
1230 Avenue of the Americas, Nueva York, NY 10020

Impreso en Malasia
Primera edición: febrero, 2011
ISBN: 978-84-92608-32-4
DL: SE 6016-2010

Para Wendy
y Stephen

La gallina Rosalía salió a pasear,

atravesó el corral,

rodeó el
estanque,

se subió sobre un montón de paja,

pasó
por el molino,

cruzó la valla,

se metió por debajo de las colmenas

y regresó
justo
a tiempo
para cenar.